Sans issue

Niveau **5 – B1**

ADRIEN PAYET

Direction de la production éditoriale : Béatrice Rego – Édition : Élisabeth Fersen – Marketing : Thierry Lucas –
Conception graphique et mise en page : Miz'enpage – Illustrations : GIO ilustraciones – Recherche iconographique :
Clémence Zagorski – Enregistrements : Vincent Bund – CLE International / SEJER, 2012 – ISBN : 978-2-09-03-1340-6

Sommaire

Présentation

Genre Policier - aventure

Résumé Charlotte veut prouver à Mélanie qu'elle est une bonne comédienne. Son amie lui propose alors un pari : se faire passer pour quelqu'un d'autre pendant plus de 24 heures ! À l'aéroport de Nice, elle prend l'identité d'une voyageuse : Catalina Banalesco. Tout se complique quand elle découvre que son « personnage » est mêlé à une histoire d'enlèvement...

Thèmes Le théâtre - le cinéma - le festival de Cannes la rivalité - le dépassement de soi - la confiance.

Les personnages

Charlotte

C'est le personnage principal de l'histoire. Elle veut prouver qu'elle est une excellente comédienne. Elle est courageuse mais pas très prudente.

Mélanie

C'est la rivale de Charlotte, au théâtre. Elle est belle et joue très bien. C'est elle qui a l'idée du pari.

Hector

C'est un jeune homme mystérieux, employé de l'hôtel. Il est protecteur et adore parler en rimes.

Monsieur Martin

C'est un dangereux mafieux. Il est riche et puissant.

Valiarti

C'est l'homme de main de monsieur Martin. Il est très fort et dangereux.

Petre Bobesco

C'est un réalisateur roumain qui veut présenter son film au festival de Cannes.

1. Regarde les illustrations du livre et réponds.

À ton avis....

a. Pourquoi ce livre s'appelle *Sans issue* ?

....

b. Où se passe l'histoire, principalement ?

....

2. Relie le mot à sa définition.

a. Réalisateur • • 1. Événement où l'on présente plusieurs films.

b. Producteur • • 2. Inauguration d'un événement artistique.

c. Acteur • • 3. Personne qui planifie et finance un film.

d. Cérémonie d'ouverture • • 4. Personne qui dirige et met en scène un film.

e. Festival de cinéma • • 5. Quelqu'un qui joue dans un film.

3. Complète le texte avec les mots ci-dessous :

scène - pièce de théâtre - troupe - personnage - comédien -
public - metteur en scène

Quelqu'un qui joue au théâtre est un .... Il joue sur une ....
.... en face d'un .... Il interprète un .... dans
une .... et fait partie d'une .... Il est dirigé
par un ....

4. Complète cette définition à ta façon.

Un pari, c'est un jeu dans lequel on se compromet à ....
....
....

CHAPITRE UN

Le pari

Tout a commencé par cette phrase *Vous êtes charmant Athos, mais je ne vous aime pas.* On jouait *Les Trois Mousquetaires*[1] pour notre école de théâtre...

Charlotte est sur scène, c'est elle qui joue le rôle de Milady. Elle a des difficultés à interpréter son rôle car elle n'est pas assez féminine. Le professeur lui demande toujours de recommencer.

- *Vous êtes charmant Athos, mais je ne vous aime pas...*
- Non, Charlotte, ça ne va pas ! Tu ne penses pas ce que tu dis. Tu dois être plus sincère. Milady est une femme qui adore séduire, elle est belle et dangereuse. C'est une vraie femme fatale...
- Mais je ne suis pas une femme fatale, moi ! Je ne sais pas faire...
- Je ne te demande pas d'être une femme fatale mais de jouer un personnage. Essaie d'être plus délicate, plus féminine... Qui peut jouer une séductrice pour montrer un exemple à Charlotte ?
- Moi ! dit Mélanie.

Mélanie monte sur la scène pour interpréter Milady. Elle est parfaite pour le rôle, avec sa grande taille, ses cheveux blonds et sa voix mélodieuse. Dans le groupe, tous les garçons sont amoureux d'elle. Même Romain, qui joue le rôle d'Athos, rougit quand elle s'approche de lui pour lui donner un baiser[2]. En voyant cela, Charlotte est jalouse et folle de colère.

---

1. *Les Trois Mousquetaires* : roman d'Alexandre Dumas.

2. Un baiser : action de poser ses lèvres sur la joue ou la bouche de quelqu'un en signe d'affection.

À la fin du cours, Mélanie va voir Charlotte et lui dit :
- Ton problème, c'est que tu es incapable de jouer quelqu'un d'autre.
- Ce n'est pas vrai, je peux jouer n'importe quel[3] personnage !
- Non, tu ne sais pas faire ! Et puis, ce rôle était pour moi !
- C'est faux ! Dis-moi où et quand et... tu verras...
Mélanie réfléchit. Demain, elles vont partir avec leur groupe, à Nice, pour un stage de théâtre. Voilà une occasion idéale...
- Demain, à l'aéroport, répond-elle. Je viens d'avoir une idée...

L'avion arrive à 19 h, à Nice. À l'aéroport, Charlotte et Mélanie prennent leur valise, puis se dirigent vers la sortie. Dans la salle des arrivées, il y a une dizaine de personnes qui attendent les voyageurs avec des pancartes.
- Alors ? demande Charlotte.
- Tu vois tous ces noms sur les pancartes ?
- Oui...
- Tu vas te faire passer pour[4] l'une de ces personnes.
- Comment ? Mais tu es folle !
- Tu m'as dit que tu étais capable de jouer n'importe quel personnage. Maintenant, prouve-le !
- Qu'est-ce que je dois faire ?
- C'est facile. Tu te présentes de manière naturelle et tu dis : *Bonjour, c'est moi !* Puis tu interprètes ton personnage pendant 24 heures. Je vais dire au professeur que tu es chez une amie. Demain, tu me donnes des nouvelles.
Les deux filles observent les noms sur les pancartes : *Alice Gauthier, Jiao Tian, Gabriela Fernandez...* Qui choisir ?

3. N'importe quel : tout type (de personnage).

4. Se faire passer pour quelqu'un : prendre l'identité de cette personne, faire croire qu'on est cette personne.

– Ah ! voilà ! dit Mélanie. Tu vas devenir Catalina Banalesco !
Charlotte observe un moment la femme qui tient la pancarte
avec le nom *Catalina Banalesco*. Elle est grande, avec les
cheveux longs et elle porte un ensemble noir. Elle n'a pas l'air
sympathique. Charlotte hésite, ce pari est idiot, peut-être
même dangereux... mais elle veut le gagner ! Elle se dirige
lentement vers la femme à la pancarte et fait un signe de la
main. La femme la salue et prend ses bagages. Avant de sortir
de l'aéroport, Charlotte se retourne vers Mélanie et sourit,
victorieuse. Puis elle entre dans une grande voiture noire et
disparaît dans la ville.

1. Le cours de théâtre. Vrai ou faux ? Coche et justifie ta réponse avec une phrase du texte.

	VRAI	FAUX
a. C'est Mélanie qui joue le rôle de Milady.	❑	❑
b. Charlotte n'arrive pas à interpréter son personnage.	❑	❑
c. Tous les garçons sont amoureux de Charlotte.	❑	❑
d. Dans la scène, Mélanie embrasse Romain.	❑	❑

2. Le pari. Réponds aux questions.

a. D'après Mélanie, quel est le problème de Charlotte ?

....

b. Pourquoi Mélanie est jalouse de Charlotte ?

....

c. Comment réagit Charlotte à ces accusations ?

....

d. À l'aéroport, qu'est-ce que Mélanie démande de faire à Charlotte ?

....

3. Donne ton avis sur ce pari. Qu'est-ce que tu aurais fait à la place de Charlotte ?

....

....

4. D'après toi, qu'est-ce qu'une *femme fatale* ? Coche.

a. Une femme qui attire toutes les personnes qui l'approchent. ❏

b. Une femme triste et qui aime la tragédie. ❏

5. Détente.

À l'aide des deux charades ci-dessous, trouve la phrase secrète :

a. Mon premier est neuf moins huit : ....

Mon deuxième est le nom de notre planète : ....

Mon troisième est l'infinitif de *nous prêtions* : ....

Mon tout est un synonyme de *jouer* un personnage au théâtre :

....

b. Mon premier est la 3ᵉ personne du singulier

du verbe *perdre* : ....

Mon deuxième est ce que l'on fait avant

d'entrer chez quelqu'un : on ....

Mon troisième correspond au nombre

d'années d'un individu : ....

Mon tout est une personne fictive dans une pièce de théâtre,

un livre ou un film : ....

c. Jouer au théâtre, c'est .... un ....

CHAPITRE DEUX

Une vie de luxe

Charlotte n'est jamais montée dans une aussi belle voiture. Elle est très impressionnée. La femme qui l'accompagne est assise à côté du chauffeur et ne dit pas un mot pendant tout le trajet[1]. Ce comportement inquiète un peu Charlotte, mais elle pense que c'est mieux comme ça...

La voiture s'arrête devant un petit château, situé en haut d'une colline. Sur le mur, une pancarte dorée indique : *Hôtel le Miramar - Résidence privée.*

Le chauffeur ouvre la porte de la voiture. Charlotte sort. La femme en noir lui tend un dossier.

– Tenez, dit-elle. Lisez-le ce soir. Vous avez rendez-vous demain à 8 h dans le salon privé *Picasso* pour prendre votre petit déjeuner avec monsieur Martin.

Charlotte fait un signe de la tête pour dire qu'elle a compris. Pourtant... elle ne comprend rien... Qui est ce monsieur Martin ? Que va-t-il lui demander ? Et cet hôtel de luxe... est-ce qu'elle devra payer sa chambre ? Le prix doit être horriblement cher ! Dans quelle histoire elle s'est mise ! Tout cela à cause de cette peste[2] de Mélanie !

Elle entre dans l'hôtel, accompagnée du chauffeur. Le hall est très grand, la décoration, impressionnante. Charlotte a le sentiment d'être dans un autre monde.

---

1. Un trajet : chemin à parcourir entre deux points.

2. Une peste (familier) : personne insupportable et parfois méchante.

Elle a besoin d'être seule pour assimiler ce qui lui arrive.

– J'aimerais aller dans ma chambre, dit-elle.

– Bien sûr, mademoiselle Banalesco, dit le chauffeur. Nous vous avons déjà inscrite à la réception. Votre chambre est la 413. Tenez, voici vos clefs.

Le chauffeur fait un signe à un employé de l'hôtel. Il lui demande d'accompagner la jeune fille dans sa chambre.

Le garçon sourit aimablement. Ils entrent dans un magnifique ascenseur avec des glaces partout. L'ascenseur s'immobilise au 4e étage. L'employé la conduit jusqu'à la chambre

413, ouvre la porte et là... quelle splendeur ! Ce n'est pas une chambre, on dirait... un appartement de milliardaire ou une suite présidentielle ! « Ces vingt-quatre heures vont être les plus luxueuses de toute ma vie ! », pense Charlotte.

Le garçon dépose les bagages et reste à l'entrée de la chambre. Il attend... le pourboire[3], bien sûr ! Charlotte lui donne 5 euros... elle a peu d'argent sur elle.

– Tenez, dit-elle.

Le garçon n'a pas l'air satisfait... Il sort sans un mot.

Charlotte ferme la porte. Elle observe en silence sa chambre royale, puis, prise d'un fou rire[4], elle se met à sauter sur le lit comme une enfant. Elle entre ensuite dans la salle de bains et s'adresse à son reflet dans la glace.

– Ca-ta-li-na, je m'appelle Catalina Banalesco, je suis... je suis une rock star !

Et elle commence à mimer une artiste sur scène. Puis, sérieuse, elle dit :

– Catalina... qui es-tu ? Comment savoir ?

Le dossier ! Tout est là, bien sûr ! Elle pose le document sur la table et tourne la première page. Il y a un texte écrit en langue étrangère. C'est du polonais ou du hongrois... Mais non ! Charlotte reconnaît cette langue, c'est du roumain ! Elle ne parle pas roumain mais elle se rappelle quelques phrases qu'elle avait apprises l'an dernier, pour une pièce de théâtre. Celle-ci était une déclaration d'amour : *Te iubesc dragostea mea inima mea. Nu mă lăsa.* Ça ne va pas vraiment l'aider à découvrir qui est Catalina Banalesco...

---

3. Un pourboire : petite somme d'argent qu'un client donne, en plus du prix, à une personne qui l'a servi.

4. Un fou rire : un rire impossible à arrêter.

Il y a aussi la photo d'un homme. C'est étrange, elle a déjà vu cette tête quelque part... à la télévision ? Qui est-ce ? Il est connu, c'est sûr... c'est sans doute un artiste...

Charlotte se rappelle qu'elle a un rendez-vous le lendemain matin. Il est peut-être encore temps de tout arrêter et de sortir de l'hôtel... Mais si elle fait cela, elle perd son pari car elle doit jouer son rôle pendant 24 h. Pas question ! Elle va prouver à Mélanie que c'est elle la meilleure comédienne du groupe.

Ⅱ Activités chapitre deux

1. L'hôtel. Vrai ou faux ? Coche et justifie ta réponse avec une phrase du texte.

	VRAI	FAUX
a. Dans la voiture, la femme pose des questions à Charlotte.	❏	❏
b. L'hôtel est un palace au bord de la mer.	❏	❏
c. La femme remet un document à Charlotte.	❏	❏
d. Charlotte a un rendez-vous le lendemain.	❏	❏
e. Charlotte se sent comme chez elle dans cet hôtel.	❏	❏

2. Charlotte. Remets les passages dans l'ordre.

a. Elle regarde le dossier. ❏

b. Elle arrive dans la chambre. ❏

c. Elle imite une star de rock. ❏

d. Elle donne un pourboire à l'employé. ❏

e. Elle joue comme une enfant. ❏

3. À ton avis. Réponds aux questions.

a. Qui est monsieur Martin ?

....

b. Qui est le personnage sur la photo ? Fais des hypothèses.

....

4. Détente.

a. Remets chaque mot dans l'ordre et découvre la traduction de la déclaration d'amour.

eJ t'eami nom oruma, en em iuqtte asp

....

....

b. Sais-tu dire *Je t'aime* dans toutes les langues ?
Relie l'expression à la langue correspondante.

1. I love you	•	• a. Grec
2. ich liebe dich	•	• b. Tibétain
3. σεαγαπω (s'agapo)	•	• c. Chinois
4. mi aim a ou	•	• d. Allemand
5. 我爱你 (wo ai ni)	•	• e. Anglais
6. na kirinla gaguidou	•	• f. Créole réunionnais
7. te quiero	•	• g. Espagnol

CHAPITRE TROIS

Le rendez-vous

07 H 58

Charlotte entre dans le salon privé *Picasso*. Un homme d'environ quarante ans est assis à une table. Il prend son petit déjeuner. Autour de lui, quatre hommes sont debout. Ce sont ses gardes du corps.

– Vous êtes Catalina ? dit l'homme.

– Oui...

La réponse est venue toute seule. Maintenant, c'est trop tard... Charlotte ne peut plus faire marche arrière. Elle s'approche lentement. Cet homme lui fait peur.

– Je suis monsieur Martin.

Puis il dit à l'un de ses hommes :

– Valiarti, apportez une chaise à mademoiselle Banalesco. Nous allons prendre le petit déjeuner ensemble.

Monsieur Martin est assez gros avec peu de cheveux sur la tête. C'est un homme qui veut se donner de l'importance. Son téléphone portable, avec ses touches en or, décrit assez bien sa personnalité.

– Vous avez lu le dossier ?

– Oui, naturellement, répond Charlotte d'un ton ferme.

– Tout est clair ?

– Absolument, dit Charlotte.

Elle est un peu étonnée de son ton. Cette fois, elle a l'impression d'entrer enfin dans son personnage.

– Parfait. Il est important que vous connaissiez tous les dé-

tails du dossier pour la négociation. Klivart vous a expliqué, n'est-ce pas ? dit Martin en mangeant une énorme tartine.
– Oui... assez rapidement.
– Vous êtes bien jeune pour cette mission... Mais je fais confiance à Klivart, c'est lui qui vous a recommandée. Il dit que vous êtes une grande experte en négociation. En plus, le roumain est votre langue maternelle, c'est bien ça ?
– En effet ! Je suis née à... à Arad.
Monsieur Martin regarde autour de lui puis il dit, d'une voix très basse :
– Mademoiselle Banalesco, votre mission est de la plus haute importance. Des millions d'euros sont en jeu et... la vie d'un homme également.

Charlotte fait tomber sa cuillère pleine de confiture dans son assiette. Elle perd soudain de son assurance, ce n'est plus un jeu mais la réalité ! Des millions d'euros... la vie d'un homme... et elle qui joue à faire semblant[1] ! Que faire ? Il est trop tard pour dire la vérité... Pourquoi a-t-elle fait ce pari idiot ?!... Monsieur Martin continue :

– Je vous résume la situation. Le producteur avec qui vous allez négocier ne souhaite qu'une chose : que son film soit présenté au festival de Cannes, qui va commencer ce soir. Nous avons pris en otage[2] Petre Bobesco, le réalisateur du film *Un jour en été*, une œuvre très attendue par les critiques. Nous avons l'original et toutes les copies du film avec nous. Vous allez négocier 30 millions d'euros minimum pour libérer le réalisateur et 30 millions pour présenter le film. Vous avez compris ?

– Heu... oui... c'est très clair, mais je ne sais pas si...

– Le producteur sera là dans une heure. En attendant, parlez-moi roumain... j'adore votre langue !

Charlotte, en prononçant bien les syllabes, dit lentement sa phrase fétiche : *Te iubesc dragostea mea inima mea. Nu mă lăsa.* « Ce petit jeu ne fonctionnera pas avec le producteur roumain, se dit-elle. Je vais être réellement en danger si je ne pars pas immédiatement... »

Elle s'apprête[3] à se lever quand, soudain... la porte du salon s'ouvre...

– Klivart ! Que faites-vous ici ?! s'exclame Martin.

Catastrophe !

---

1. Faire semblant : faire comme ci, se donner l'apparence de.

2. Prendre en otage : prendre une personne qui ne sera libérée que lorsqu'on aura donné la somme d'argent demandée pour sa libération.

3. S'apprêter : se préparer à faire quelque chose.

– C'est inadmissible ! Personne n'est venu chercher Catalina Banalesco à l'aéroport.

– Mais, ce n'est pas possible ! Catalina est ici...

Tous les regards se tournent vers Charlotte. Elle jette alors sa tasse de café au sol pour faire diversion[4] et elle sort à toute vitesse du salon... Aussitôt, les quatre gardes se lancent à sa poursuite[5] dans les couloirs de l'hôtel.

4. Faire diversion : faire une action pour détourner l'attention.

5. Une poursuite : action de suivre quelqu'un de près pour l'attraper.

ⓘ Activités chapitre trois

1. Monsieur Martin.

a. Décris monsieur Martin physiquement à l'aide du texte et des images.

....

b. Donne deux adjectifs qui correspondent à la personnalité
de monsieur Martin.

....

2. Le rendez-vous. Réponds aux questions.

a. Qui est monsieur Martin ?

....

b. Pourquoi a-t-il kidnappé le réalisateur ?

....

c. Quel est le rôle de Charlotte dans cette histoire ?

....

d. Pourquoi se fait-elle découvrir ?

....

3. Vrai ou faux ? Coche et justifie ta réponse avec une phrase du texte.

	VRAI	FAUX
a. Charlotte n'arrive pas à jouer son personnage.	❑	❑
b. Catalina Banalesco a eu cette mission grâce à Klivart.	❑	❑
c. Charlotte ment sur sa nationalité.	❑	❑
d. Klivart entre dans la salle en colère.	❑	❑

4. Détente.
Dans la grille, trouve le mot qui correspond à la définition.

a. Il est payé pour protéger un individu. ....

b. Chercher un accord, un arrangement avec quelqu'un. ....

....

c. Une ville en Roumanie. ....

d. Quelqu'un qui est victime d'un enlèvement. ....

e. Objet que jette Charlotte pour faire diversion. ....

f. Qu'on ne peut pas admettre. ....

A	N	O	G	E	O	Q	U	A	I	B	S
Z	O	T	A	G	E	S	I	N	A	O	X
P	A	E	R	H	K	P	H	E	U	K	T
A	R	A	D	S	V	H	E	G	O	S	A
C	X	K	E	H	Z	A	M	O	G	D	S
J	V	U	X	O	F	O	B	C	T	L	S
I	N	A	D	M	I	S	S	I	B	L	E
O	I	A	U	M	F	D	O	E	H	R	R
Q	U	L	X	R	K	I	U	R	P	L	A
U	A	F	C	A	S	Q	N	M	E	T	G
E	L	I	O	T	E	P	J	R	A	E	L
L	H	S	R	U	O	O	E	T	I	O	U
L	O	R	P	D	P	D	H	A	G	A	X
O	S	E	S	M	E	R	A	E	V	P	A

23

CHAPITRE QUATRE

La rencontre

Charlotte cherche la sortie. Elle a un seul objectif : quitter l'hôtel au plus vite. Elle arrive dans le hall d'entrée mais deux hommes de Martin, revolver à la main, bloquent la porte. Impossible de passer ! Elle monte à toute vitesse les escaliers. Que faire ? Elle entend un homme qui court derrière elle. Elle ouvre la première porte sur sa droite. C'est une buanderie[1].

1. Une buanderie : local où on lave le linge.

Charlotte entre rapidement, referme la porte, glisse sur le sol et tombe... dans les bras d'un employé de l'hôtel.

\- Aidez-moi, s'il vous plaît, dit Charlotte, dans un souffle[2].

\- Cachez-vous ici ! dit le jeune homme sans demander d'explication.

Il ouvre la porte d'une énorme machine à laver et fait signe à Charlotte d'entrer à l'intérieur. Il ajoute ensuite quelques draps sur la jeune fille. Trois secondes plus tard, les hommes de Martin ouvrent la porte de la buanderie.

\- Est-ce que vous avez vu une jeune femme brune d'environ 20 ans ? demande l'un d'eux.

\- Non, je n'ai vu personne.

Les deux hommes entrent dans la pièce pour vérifier que la jeune femme n'y est pas.

\- Eh ! Vous n'êtes pas autorisés à entrer ici ! Sortez immédiatement ou j'appelle la sécurité !

\- Je vous déconseille de faire cela, dit un des hommes, menaçant.

Ils cherchent la jeune femme entre les vêtements et les draps qui sèchent. Comme ils ne trouvent rien, ils s'en vont quelques minutes plus tard...

\- Vous pouvez sortir, mademoiselle, dit le jeune homme.

\- Merci beaucoup, dit Charlotte. Vous m'avez sauvé la vie !

\- *Quand une fille de rêve me tombe dans les bras*
Je ne réfléchis pas, je fais ce que je dois !

\- Vous parlez en rimes... c'est... c'est original !

\- *Mon esprit est plein de mots*
Car dans vos yeux, je suis le plus beau.

\- Oui, enfin... c'est un peu rapide, non ?! Je ne vous connais pas, moi !

---

2. Un souffle : air que l'on rejette par la bouche.

- Excusez-moi, j'adore la poésie. C'est plus fort que moi ! Je m'appelle Hector, je suis agent d'entretien[3].

- Enchantée. Moi, je suis Catalina, enfin... heu... non, Charlotte.

- Catalina ou Charlotte ?

- Oh, mon Dieu... je ne sais plus qui je suis...

Tout à coup, elle se sent complètement désemparée[4] et, sans savoir pourquoi, elle raconte toute son histoire à Hector. Hector l'écoute attentivement.

- Il faut appeler la police, dit Charlotte. La vie d'un homme est en danger.

- Et la vôtre aussi. Je vais m'en occuper, ne vous inquiétez pas.

- Et moi, je fais quoi ? Je reste ici ?

- Non. Je vais vous emmener dans un endroit sûr.

- Mais si je sors, ils vont me voir et...

- Faites-moi confiance. Rentrez dans ce sac, dit Hector.

Charlotte le regarde un court instant... Il est jeune et assez beau et a quelque chose de rassurant... Elle sent qu'elle peut avoir confiance en lui... De toute façon, elle n'a pas le choix.

Elle entre dans le sac de vêtements. Il met le sac dans son chariot puis sort en sifflant. À l'intérieur du sac, Charlotte ne voit rien mais elle entend tout ce qui se passe. Ils traversent le couloir.

- Tu peux me donner les clefs de la salle de service ? demande Hector à une employée.

- *Pourquoi veux-tu y entrer ? Tu as quelque chose à cacher ?*

- *S'il te plaît, c'est important ! Je ne te demande pas les clefs du Vatican !*

« Pourquoi ils font tous des rimes ? C'est vraiment un hôtel de fous », se dit Charlotte.

---

3. Agent d'entretien : employé chargé de l'entretien de l'hôtel.

4. Désemparé : troublé, perturbé au point de ne plus savoir que dire ni que faire.

Deux minutes plus tard, Hector ouvre le sac.

– Voilà ! Nous sommes arrivés. Personne ne viendra te chercher ici.

– Tu es sûr...

– Oui, certain. Je vais appeler la police. Toi, reste ici et ne sors surtout pas. Compris ?

– Oui, merci... Eh, Hector...

– Oui ?

– C'est sympa, tes rimes...

Il sourit et sort.

❚ Activités chapitre quatre

**1. La course-poursuite. Remets les passages dans l'ordre.
Attention ! il y a 2 intrus.**

Ordre : Charlotte...

N° ...... **a.** entre dans la buanderie.

N° ...... **b.** saute par la fenêtre.

N° ...... **c.** veut sortir de l'hôtel.

N° ...... **d.** se cache dans une machine.

N° ...... **e.** appelle la police.

N° ...... **f.** monte les escaliers.

2. Hector. Réponds aux questions.

a. Qui est Hector ?

....

b. À ton avis, pourquoi accepte-t-il si rapidement de cacher Charlotte ?

....

c. Comment réagit Hector quand les hommes entrent dans la buanderie ?

....

d. Comment Hector essaie de séduire Charlotte ?

....

3. La rencontre. Vrai ou faux ? Coche et justifie ta réponse avec une phrase du texte.

	VRAI	FAUX
a. Charlotte n'ose pas dire qui elle est vraiment.	❏	❏
b. Hector aide tout de suite Charlotte.	❏	❏
c. Hector va prévenir la police.	❏	❏
d. Charlotte va se cacher dans un autre lieu.	❏	❏
e. Charlotte n'aime pas la façon de parler d'Hector.	❏	❏

4. À ton avis. Réponds aux questions.

a. Que penses-tu d'Hector ? Charlotte a-t-elle raison de lui faire confiance ?

....

....

b. Qu'est-ce que tu aurais fait à la place de Charlotte ? Fais plusieurs hypothèses.

....

....

5. Détente.

Comme Hector, fais une déclaration d'amour en rimes ou écris deux phrases en rimes à la personne de ton choix. Pour t'aider, consulte les dictionnaires de rimes sur Internet.

....

....

CHAPITRE CINQ

La deuxième chance

Charlotte est cachée dans la salle depuis plus d'une heure. Hector n'est toujours pas revenu. Elle est un peu inquiète. Elle pense à tout ce qui vient de se passer. Elle est en colère contre elle-même. Pourquoi a-t-elle accepté ce pari stupide ?! Maintenant, elle est cachée dans une salle pleine de balais, dans un hôtel, pendant que ses amis travaillent leur pièce de théâtre !

Mais bien sûr ! Soudain, Charlotte comprend pourquoi Mélanie lui a proposé ce pari. Elle voulait l'éloigner de la troupe pour prendre le rôle de Milady. Elle imagine Mélanie, applaudie de tous, félicitée par le professeur et embrassée par... par Romain, dans la scène 3 !

- Ah non, ce n'est pas possible ! pense-t-elle.

Elle se lève et fait les cent pas[1] dans la petite salle de service. Que faire ? Elle doit trouver le moyen de sortir de cet hôtel ! Elle regarde autour d'elle. Il y a des balais, des uniformes de service... Elle a trouvé ! Elle va s'habiller en femme de chambre[2]... Elle n'a peut-être pas complètement perdu son pari...

Charlotte est prête. Elle a mis un uniforme, a un peu changé l'aspect de son visage, grâce à du maquillage qu'elle a trouvé dans un sac et a mis un foulard sur sa tête... pas de doute, elle

---

1. Faire les cent pas : marcher de long en large.

2. Une femme de chambre : personne qui nettoie/lave les chambres dans les hôtels.

est différente ! Elle prend un pass[3] pour ouvrir les portes et sort de la pièce, avec un chariot plein de produits pour nettoyer. Elle avance dans le couloir. Il n'y a personne. À l'étage en-dessous, elle entend une conversation entre deux

---

3. Un pass : carte magnétique ou clef qui permet d'ouvrir toutes les chambres.

femmes de ménage. Elle se cache près des escaliers pour écouter ce qu'elles disent :

- Ah non, dit une femme, je n'irai pas !

- C'est ton tour, aujourd'hui. Moi, j'y suis allée hier !

- Je te dis que non, ils me font peur...

- C'est vrai qu'ils sont un peu étranges avec leurs airs de mafieux[4], mais ce n'est pas notre problème. Nous, on est là pour nettoyer les chambres, c'est tout !

- Je monterai plus tard, répond l'autre.

Charlotte est sûre que les deux femmes parlent des hommes de Martin. Ah, si Hector était là...! Mais où est-il ? A-t-il vraiment appelé la police ? Elle espère qu'on ne l'a pas découvert...

« Elles ne vont pas monter maintenant, se dit Charlotte. Alors, j'y vais... » Elle a l'impression que Petre Bobesco est caché dans l'hôtel... elle peut peut-être sauver le réalisateur ! Elle sortirait ainsi victorieuse de cette histoire en faisant une action héroïque...

Charlotte sourit et se dirige vers les chambres du dernier étage...

Charlotte frappe à la porte de la chambre 602. Pas de réponse.

- Il y a quelqu'un ? C'est pour le ménage..., dit-elle.

Elle ouvre la porte avec son pass. Personne. Elle examine la chambre et trouve un téléphone portable. C'est celui de Martin, elle en est sûre... les touches or sont assez rares. Elle prend le téléphone. Ça pourra peut-être lui servir plus tard...

Il y a quelqu'un dans la chambre 604. C'est un homme de Martin. Charlotte le reconnaît.

- Bonjour monsieur. C'est pour le ménage de la chambre. Est-ce que je peux entrer, s'il vous plaît ?

- Non, pas maintenant !

---

4. Un mafieux : membre de la Mafia.

– Mais il est onze heures trente, je dois faire la chambre avant midi, sinon...

– J'ai dit pas maintenant ! Revenez plus tard.

Il ferme la porte avec violence.

« Cet homme a quelque chose à cacher, se dit Charlotte. Monsieur Bobesco est sans doute enfermé ici ! Il faut que je trouve le moyen d'entrer dans cette pièce... » Elle réfléchit... Soudain... « Excellente idée ! » se dit-elle. Mais elle doit se souvenir du nom de l'homme qui lui a parlé - c'est celui qui lui a apporté une chaise au petit déjeuner -, c'est... Olivar, non, Livar... Valiarti oui, c'est ça ! Valiarti. Elle cherche le nom de Valiarti dans le répertoire[5] du téléphone de Martin. Bingo, elle l'a trouvé ! Maintenant, elle peut réaliser son plan.

---

5. Un répertoire : ici, liste de noms et de numéros de téléphone.

ⓘ Activités chapitre cinq

1. La révélation. Réponds aux questions.

a. À ton avis, pourquoi Charlotte est-elle en colère contre elle-même ?

....

b. Qu'est-ce que Charlotte vient de comprendre au sujet de Mélanie ?

....

c. Quelle est l'idée de Charlotte pour gagner son pari ?

....

d. Comment fait-elle pour ne pas se faire remarquer ?

....

2. Dans le couloir. Vrai ou faux ? Coche et justifie ta réponse avec une phrase du texte.

	VRAI	FAUX
a. Charlotte parle avec des femmes de ménage.	❑	❑
b. Les femmes de ménage ne veulent pas nettoyer les chambres du haut.	❑	❑
c. Charlotte est sûre que Hector a été découvert.	❑	❑
d. Charlotte décide de monter au dernier étage.	❑	❑
e. Charlotte veut sauver le réalisateur.	❑	❑

3. Remets dans l'ordre les différents sentiments de Charlotte dans ce chapitre. Justifie ta réponse par des phrases du texte.

ORDRE	SENTIMENTS	JUSTIFICATION
N°	**a**. détermination	....
N°	**b**. joie	....
N°	**c**. inquiétude	....
N°	**d**. jalousie	....
N°	**e**. colère	....
N°	**f**. espoir	....

4. À ton avis.

a. Quel est le plan de Charlotte ? Que va-t-elle faire avec le téléphone portable ?

....

....

b. Penses-tu que les hommes de Martin vont la reconnaître ? Pourquoi ?

....

....

5. Détente.

Trouve le code pour écrire la dernière ligne.

Aide : Lis les codes à voix haute, chiffre par chiffre ! Chaque code a un rapport direct avec le précédent.

Numéro de Valiarti : 0620668444

Code 1 : 10, 16, 12, 10, 26, 18, 34

Code 2 : 11, 10, 11, 16, 11, 12, 11, 10, 12, 16, 11, 18, 13, 14

Code 3 : ....

CHAPITRE SIX

Surprise finale

Charlotte tire la sonnette d'alarme incendie et court se cacher près de la chambre 602. Les personnes sortent aussitôt de leur chambre et se dirigent à toute vitesse vers les sorties de secours. Pendant ce temps, Charlotte écrit un SMS à Valiarti depuis le téléphone de Martin :

URGENT ! RDV dans hall. Laisser tout sur place. Martin

Quelques secondes plus tard, l'homme sort de la chambre 604. Il vérifie rapidement que personne n'est dans le couloir puis se dirige vers les escaliers. Charlotte doit faire très vite. Elle entre dans la chambre et remarque[1] tout de suite que la salle de bains est fermée à clé. L'otage est sûrement à l'intérieur. Elle essaie de forcer la porte mais elle n'y arrive pas. Elle prend alors une chaise et la lance de toutes ses forces contre la porte. Ça marche... ! Elle pousse un peu plus de tout son corps et la porte finit par s'ouvrir.

Elle entre... Le réalisateur est dans la baignoire, pieds et mains liés[2]. Elle se précipite vers lui et enlève le tissu que l'homme a dans la bouche. Il peut enfin parler...

– Je ne sais pas qui vous êtes, mais merci !

– Vous me remercierez plus tard. Pour l'instant, il faut sortir d'ici et vite !

Après de longs efforts, Charlotte arrive à retirer les cordes des

1. Remarquer : constater.
2. lié : attaché.

mains du réalisateur. Elle continue avec les pieds quand, sou-
dain, Valiarti entre dans la salle de bains, furieux. L'otage crie :
- Attention !!! Derrière vous !
Valiarti s'approche de la jeune fille, menaçant.
- Qui êtes-vous ? Un agent ? Une espionne ? demande Valiarti.
- Non, je suis... je suis... une touriste.
- Ça suffit ! Je vous reconnais. Vous avez pris l'identité d'une
experte en négociation, d'une femme de ménage et mainte-
nant, vous voulez me faire croire que vous êtes touriste ?!
- C'est que... je suis comédienne et...
- Oui, ça c'est vrai, dit soudain une voix derrière Valiarti, et c'est
une excellente comédienne et vous, vous êtes en état d'arres-

tation[3] ! Allez, retournez-vous lentement, les mains en l'air !
L'homme se retourne et découvre que la pièce est pleine de
policiers. Il lève les bras d'un air fataliste. Charlotte n'arrive
pas à croire ce qu'elle voit. Le policier qui vient d'arrêter Valiarti est... Hector, le charmant poète employé de l'hôtel.
Pendant que d'autres policiers libèrent Petre Bobesco, Hector

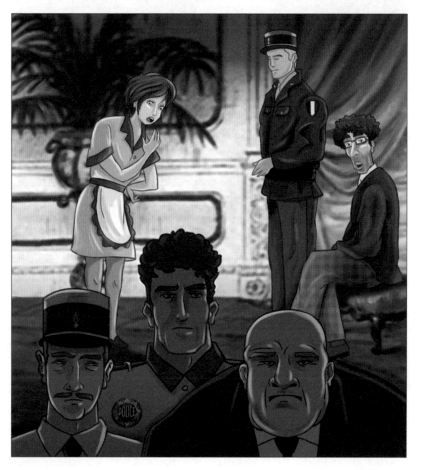

3. Être en état d'arrestation : phrase utilisée par la police avant d'arrêter
un individu.

explique tout à Charlotte.

– En réalité, je m'appelle Vincent et je suis inspecteur de police. Je me suis infiltré[4] dans cet hôtel il y a deux semaines pour arrêter ce groupe de mafieux. Je jouais le rôle d'un employé pour obtenir le maximum d'informations... jusqu'à ton arrivée, qui a un peu perturbé les choses !

– Je suis désolée, je ne savais pas...

– Ce n'est pas grave. Grâce à toi, nous avons arrêté toute l'équipe. Mais tu t'es mise en danger en agissant ainsi. Pourquoi es-tu sortie de ta cachette ?

– Je voulais me prouver que j'étais capable de jouer un autre personnage. Maintenant, je réalise que c'était une folie. Je ne sais pas ce que je serais devenue sans ton intervention... Vincent ? Je peux te poser une question ?

– Oui, bien sûr.

– Est-ce que tu as déjà fait du théâtre ?

– Non, pourquoi ?

– Tu es un super bon acteur ! Je n'ai pas pensé une seule seconde que tu jouais un personnage...

Le célèbre réalisateur, qui a entendu leur conversation, s'approche des deux jeunes :

– C'est vrai, vous êtes bons, tous les deux... Vous pourriez peut-être jouer dans mon prochain film ! Bon, mais pour le moment, je vous propose une chose : vous aimeriez m'accompagner ce soir à la cérémonie d'ouverture du festival de Cannes ? Je vous présenterai comme mes sauveurs[5]...

La tête de Mélanie quand elle apprendra tout ça !

---

4. S'infiltrer : parvenir à s'introduire quelque part pour réaliser une mission.

5. Un sauveur : personne qui sauve, aide quelqu'un à échapper à un danger.

1. L'intervention de Charlotte. Remets les passages dans l'ordre. Attention ! il y a 2 intrus.

ORDRE :

N° ......   **a**. Charlotte entre dans la chambre.

N° ......   **b**. Martin donne rendez-vous à ses hommes par SMS.

N° ......   **c**. Charlotte court se cacher près de la chambre 602.

N° ......   **d**. Charlotte tire la sonnette d'alarme incendie.

N° ......   **e**. Valiarti sort de la chambre 604.

N° ......   **f**. Les résidents du couloir sortent de leur chambre.

N° ......   **g**. Charlotte essaie de forcer la porte.

N° ......   **h**. Il y a un incendie dans l'hôtel.

N° ......   **i**. Charlotte découvre le réalisateur.

N° ......   **j**. Charlotte écrit un SMS à Valiarti.

2. Vrai ou faux ? Coche et justifie ta réponse avec une phrase du texte.

	VRAI	FAUX
a. Valiarti découvre Charlotte dans la salle de bains.	❏	❏
b. Valiarti pense que Charlotte est vraiment une femme de ménage.	❏	❏
c. Hector n'est pas un employé de l'hôtel.	❏	❏
d. Le jeune poète ne s'appelle pas Hector.	❏	❏

3. À ton avis...

a. Qui est le héros de cette histoire ? Pourquoi ?

....

b. Quelle va être la réaction de Mélanie quand Charlotte lui racontera ce qui s'est passé ?

....

4. Détente.

Dans cette grille, trouve 10 mots qui apparaissent dans ce dernier chapitre : 5 horizontalement, 3 verticalement, 2 en diagonale.

D	F	E	T	N	U	Z	S	A	H	K	F	A
E	G	J	S	T	O	C	Z	H	J	K	O	G
F	E	M	M	E	D	E	M	E	N	A	G	E
P	O	N	K	R	S	E	F	T	A	B	I	N
Q	E	S	P	I	O	N	N	E	C	E	R	T
U	A	F	U	N	Z	T	O	E	T	U	I	D'
D	G	X	C	O	M	E	D	I	E	N	N	E
S	J	E	U	S	L	O	S	T	U	E	S	N
Q	O	P	I	A	S	G	A	D	R	A	P	T
U	T	O	U	R	I	S	T	E	I	U	E	R
T	F	H	L	N	I	N	E	O	E	D	C	E
O	Z	J	M	L	R	G	F	E	K	O	T	T
S	U	Z	A	O	A	E	L	M	L	H	E	I
A	G	E	N	T	D	T	R	S	R	E	U	E
T	R	E	O	R	A	A	O	A	H	S	R	N

1. Aimerais-tu être comédien/ienne ou acteur/trice ? **Pourquoi ?**

2. Beaucoup de comédiens veulent vivre un maximum de situations dans leur vie pour être capables de les interpréter au théâtre. Qu'en penses-tu ? **Est-ce que cela est dangereux ?**

3. Que penses-tu des paris entre amis comme celui de cette histoire ?

4. Est-ce que tu as fait ou accepté un pari ? Raconte. **Quelles en ont été les conséquences ?**

5. Raconte une anecdote où tu as eu très peur.

6. Est-ce qu'il y a un festival de cinéma important dans ton pays ? **Si oui, décris-le (où et quand il se déroule, quels artistes y sont invités, etc.).**

JEU DE RÔLES

Jouez la scène du petit déjeuner du Chapitre trois.

Jouez la scène de la rencontre entre Hector et Charlotte dans la buanderie. Tu peux ajouter des dialogues.

Écris

1. Imagine un autre titre pour cette histoire.

....

....

....

**2. Tu as pris l'identité de quelqu'un pendant 24 heures
(par exemple, un champion d'échecs, un professeur, un avocat,
un médecin, etc.). Raconte cette journée dans ton journal intime.**

....

....

....

....

....

**3. Avec des amis, tu as organisé un festival du film dans
ta ville. Écris une lettre à ton acteur/actrice préféré(e) pour
l'inviter à votre festival. Explique pourquoi tu l'as choisi(e)
et ce que tu apprécies dans son travail.**

....

....

....

....

....

Test final : ? Tu as tout compris ?

Réponds, regarde les solutions et compte tes points.

1. La pièce de théâtre de la troupe s'appelle...

a. *Les Trois Héros.* .... ❏

b. *Les Trois petits Cochons.* .... ❏

c. *Les Trois Mousquetaires.* .... ❏

2. Charlotte va à Nice pour...

a. les vacances. .... ❏

b. un stage de théâtre. .... ❏

c. un casting. .... ❏

3. Catalina Banalesco est...

a. une négociatrice roumaine. .... ❏

b. une actrice roumaine. .... ❏

c. une touriste roumaine. .... ❏

4. Charlotte...

a. rencontre Catalina Banalesco. .... ❏

b. se fait passer pour Catalina Banalesco. .... ❏

c. enlève Catalina Banalesco. .... ❏

5. Le rendez-vous avec monsieur Martin est...

a. dans un salon privé de l'hôtel. .... ❏

b. au musée *Picasso*. .... ❏

c. dans un restaurant, à Cannes. .... ❏

6. L'otage est...

a. un producteur de cinéma. .... ❏

b. un acteur. .... ❏

c. un réalisateur. .... ❏

7. Charlotte doit négocier pour...

a. libérer l'otage. .... ❏

b. présenter le film. .... ❏

c. libérer l'otage et présenter le film. .... ❏

8. Charlotte...

a. trouve l'otage. .... ❏

b. est enlevée par les hommes de Martin. .... ❏

c. est arrêtée par la police. .... ❏

9. En réalité, Hector s'appelle Vincent et il est...

a. policier. .... ❏

b. acteur. .... ❏

c. mafieux. .... ❏

10. Le réalisateur invite Charlotte et Vincent...

a. au restaurant. .... ❏

b. dans sa maison, en Roumanie. .... ❏

c. à la cérémonie d'ouverture du festival de Cannes. .... ❏

Découvre

Le festival de Cannes

Lis le texte puis réponds aux questions.

Le festival de Cannes, fondé en 1946 sur un projet de Jean Zay, ministre de l'Éducation Nationale et des Beaux-arts du Front populaire, est un festival de cinéma international qui se déroule chaque année à Cannes (Alpes-Maritimes, France) pendant la seconde quinzaine du mois de mai, au Palais des Festivals et des Congrès.

Il est devenu, au fil des années, le festival de cinéma le plus médiatisé au monde, notamment lors de la cérémonie d'ouverture et la montée des marches : le tapis rouge et ses vingt-quatre « marches de la gloire ».

Petite histoire de la Palme d'or

La Palme d'or est le symbole du festival de Cannes. Elle a été décernée pour la première fois en 1955 à Delbert Mann, pour son film *Marty*. Avant cela, le Jury du festival décernait un « Grand Prix » au meilleur réalisateur.

L'organisation du festival de Cannes avait fait à l'époque un concours pour choisir la forme du trophée. C'est le dessin de la créatrice de bijoux, Lucienne Lazon, qui a gagné et c'est comme ça que la Palme est devenue le symbole du festival.

Actuellement, cinq réalisateurs ont reçu deux fois la Palme : Francis Coppola, Shoei Imamura, Bille Auguste, Emir Kusturica et les frères Dardenne.

Une ville changée par son festival
Durant l'année, Cannes est une ville assez tranquille, mais pendant le festival, la ville se métamorphose ! Les gens s'habillent comme des mannequins, les rues sont pleines de voitures de luxe et il n'est pas rare de voir des stars hollywoodiennes sortir des grands palaces. C'est le monde du showbiz et du glamour !

1. Le festival de Cannes. Réponds.

a. Où et quand a lieu le festival de Cannes ?

....

b. Qui est son fondateur ?

....

2. La Palme d'or. Réponds aux questions.

a. Comment s'appelait le prix du festival avant l'invention de la Palme ?

....

b. Qui a créé la Palme du festival ?

....

c. Parmi ces réalisateurs, lesquels n'ont reçu qu'une seule fois la Palme d'Or ?

1. Francis Coppola ❑
2. Emir Kusturica ❑
3. Theo Angelopoulos ❑
4. Delbert Mann ❑
5. Jean-Pierre et Luc Dardenne ❑

Prépare la lecture : Activité 1 : a. Parce qu'il décrit une situation de laquelle on peut difficilement sortir. - b. Dans un hôtel. ■ **Activité 2 :** a. 4 - b. 3 - c. 5 - d. 2 - e. 1 ■**Activité 3 :** comédien / scène / public / personnage / pièce de théâtre / troupe / metteur en scène ■**Activité 4 :** Un pari, c'est un jeu dans lequel on se compromet à donner quelque chose à la personne qui a raison, qui gagne. ■**Chapitre 1: Activité 1 :** a. faux/Charlotte est sur scène, c'est elle qui joue le rôle de Milady. - b. vrai/Elle a des difficultés à interpréter son rôle. - c. faux/Tous les garçons sont amoureux d'elle (de Mélanie). - d. vrai/Elle s'approche de lui pour lui donner un baiser. ■**Activité 2 :** a. Elle est incapable de jouer quelqu'un d'autre. - b. Parce qu'elle voulait jouer le rôle de Milady. - c. Elle veut lui prouver qu'elle a tort. - d. De se faire passer pour quelqu'un d'autre. ■**Activité 4 :** a. Je t'aime mon amour, ne me quitte pas. ■**Activité 5 :** a. un / terre / prêter = interpréter - b. perd / sonne / âge = personnage - c. interpréter / personnage ■**Chapitre 2 : Activité 1 :** a. faux/La femme qui l'accompagne […] ne dit pas un mot pendant tout le trajet. - b. faux/Un petit château situé en haut d'une colline. - c. vrai/La femme en noir lui tend un dossier. - d. vrai/Vous avez rendez-vous demain à 8 h […] pour prendre votre petit déjeuner avec monsieur Martin. - e. faux/Charlotte a le sentiment d'être dans un autre monde. ■**Activité 2 :** a. 5 - b. 1 - c. 4 - d. 2 - e. 3 ■**Activité 4 :** a.
■ **Chapitre 3 : ■Activité 1 :** a. Il a environ 40 ans, il est assez gros et a peu de cheveux sur la tête. - b. inquiétant / menaçant ■**Activité 2 :** a. C'est un mafieux et un homme dangereux. - b. Pour obtenir de l'argent : 30 millions d'euros pour libérer le réalisateur et 30 millions pour rendre le film. - c. Elle doit faire les négociations avec le producteur du film. - d. Parce que c'est trop dangereux. Elle a peur et préfère s'échapper. ■**Activité 3 :** a. faux/Cette fois, elle a l'impression d'entrer enfin dans son personnage. - b. vrai/Klivart, c'est lui qui vous a recommandée. - c. vrai/Le roumain est votre langue maternelle, c'est bien ça ? - En effet ! je suis née à... à Arad. - d. vrai/C'est inadmissible ! Personne n'est venu chercher Catalina Banalesco à l'aéroport. ■**Activité 4 :** a. garde du corps - b. négocier - c. Arad - d. otage - e. tasse - f. inadmissible ■**Chapitre 4 : Activité 1 :** a. 3 - b. ø - c. 1 - d. 4 - e. ø - f. 2 ■**Activité 2 :** a. C'est un employé de l'hôtel, un agent d'entretien. - b. Il voit tout de suite que la situation est grave. - c. Il leur demande de sortir, il leur dit qu'ils ne sont pas autorisés à entrer dans cette pièce. - d. En faisant des rimes. ■**Activité 3 :** a. faux/Elle raconte toute son histoire à Hector. - b. vrai/Cachez-vous ici ! - c. vrai/Je vais m'en occuper. - d. vrai/Je vais vous emmener dans un endroit sûr. - e. faux/ C'est sympa, tes rimes. ■**Chapitre 5 : Activité 1 :** a. Parce qu'elle a accepté ce pari et maintenant elle le regrette. - b. Charlotte comprend pourquoi Mélanie lui a proposé ce pari : c'est parce qu'elle voulait l'éloigner de la troupe pour prendre le rôle de Milady. - c. Jouer un nouveau rôle : s'habiller en femme de chambre pour faire croire qu'elle est une employée de l'hôtel. - d. Elle met un uniforme, un foulard et elle se maquille pour changer l'aspect de son visage. ■**Activité 2 :** a. faux/Elle entend une conversation entre deux femmes de ménage. - b. vrai/Ah non, dit une femme, je n'irai pas ! - c. faux/Elle espère qu'on ne l'a pas découvert. - d. vrai/Elles ne vont pas monter maintenant, se dit Charlotte. Alors, j'y vais... - e. vrai/Elle peut peut-être sauver le réalisateur. ■**Activité 3 :** a. 5/Elles ne vont pas monter maintenant, alors, j'y vais... - b. 6/Elle sortirait ainsi victorieuse de cette histoire en faisant une action héroïque... Charlotte sourit... - c. 1/Elle est un peu inquiète. - d. 3/Elle imagine Mélanie, applaudie de tous et embrassée par... par Romain. - e. 2/Elle est en colère contre elle-même. - f. 4/Elle espère qu'on ne l'a pas découvert. ■**Activité 5 :** 31, 10, 31, 16, 31, 12, 31, 10, 11, 12, 11, 16, 31, 18, 11, 13, 11, 14/Explication : si on lit le numéro de téléphone de Valiarti, on constate qu'il y a un « zéro », puis un « six », etc. Dans le code 3, on continue avec ce système à partir du code 2 : il y a d'abord trois « un », puis un « zéro », puis trois « un », etc. = 31, 10... ■**Chapitre 6 : Activité 1 :** a. 3 - b. ø - c. 2 - d. 1 - e. 5 - f. 3 - g. 7 - h. ø - i. 8 - j. 4 ■**Activité 2 :** a. vrai/Valiarti entre dans la salle de bains, furieux. - b. faux/Ça suffit ! Je vous reconnais. Vous avez pris l'identité d'une experte en négociation... - c. vrai/Le policier qui vient d'arrêter Valiarti est... Hector. - d. vrai/En réalité, je m'appelle Vincent... ■**Activité 4 :** Horizontalement : agent - espionne - femme de ménage - touriste - comédienne / Verticalement : inspecteur - agent d'entretien - acteur / En diagonale : réalisateur - otage ■**Tu as tout compris ?** : 1. c - 2. b - 3. a - 4. b - 5. a - 6. c - 7. c - 8. a - 9. a - 10. c ■**Découvre : Activité 1 :** a. Pendant la seconde quinzaine du mois de mai, au Palais des Festivals et des Congrès de Cannes. - b. Jean Zay, ministre de l'Éducation Nationale et des Beaux-arts du Front populaire. ■**Activité 2 :** a. Le grand prix. - b. Lucienne Lazon. - c. 3 / 4

Projet : 10272871
Achevé d'imprimer en France en mars 2021
sur les presses de Estimprim

Le papier de cet ouvrage est composé de fibres naturelles,
renouvelables, fabriquées à partir de bois provenant
de forêts gérées de manière responsable.